Beurk ! encore des légumes !

SYLVIE
DE MATHUISIEULX

ILLUSTRATIONS DE
LAURENT RICHARD

Pour Maman et ses petits arbres blancs.

Chapitre 1

Ève-Anne adore les pâtes.
Et elle déteste tout le reste. À chaque
fois que Maman lui demande :
« Qu'est-ce que tu
voudrais manger,
ce soir ? », Ève-
Anne répond :
« Des nouilles ! »
Et paf ! Maman s'énerve.

Il faut dire que la
maman d'Ève-Anne
ne plaisante pas quand
il s'agit de nourriture.
Elle aurait bien voulu
être diététicienne. Elle propose
tout le temps des choses affreuses,
en essayant de vous faire croire
que c'est super. Par exemple, elle dit
que le chou-fleur ressemble
à des petits arbres
tout blancs.

Elle raconte que les carottes râpées donnent une jolie peau.

Elle s'extasie sur le poulet fermier, mais on s'en fiche bien qu'il ait été fermier,

ou boulanger,

ou même pompier, ce poulet !

Ève-Anne fait la moue.

Elle soupire : « C'est pas bon ! »

Elle chipote dans son assiette.

Dès que
Maman
a le dos
tourné,
elle appelle
Mistouchat,
pour lui donner
à manger sous la table.

Et comme
Mistouchat
n'est pas
difficile,
il enfle
à vue d'œil.

7

Chapitre 2

Toutes les nuits, Ève-Anne
fait d'affreux cauchemars.
Des tomates pourries
la poursuivent,
des brocolis lui
tirent la langue,
des carottes
lui jettent des cailloux.

Le matin, la petite fille est épuisée.
Ça ne peut plus durer ! Au petit
déjeuner, elle essaie d'avoir une
discussion raisonnable avec Maman.

S'il faut varier
les menus, pourquoi pas ?

– Mangeons un jour
des spaghettis,

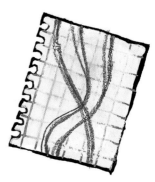

un jour
des coquillettes,

un jour
des tagliatelles,

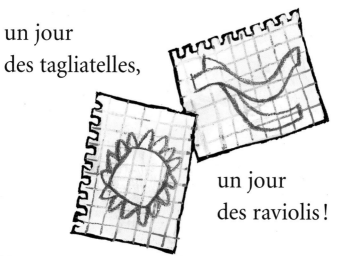

un jour
des raviolis !

Ce n'est quand même pas
si compliqué ! dit Ève-Anne.

Hélas, il n'y a rien à faire.
Maman ne veut rien entendre.
Au dîner, c'est chaque soir
plus catastrophique.

Maman s'énerve, s'énerve…
Et elle finit toujours
par hurler :

– Finis ton assiette !

Ève-Anne a envie
de vomir.

Même
Mistouchat
commence
à en avoir
assez !

Vraiment, ça ne peut plus durer !
Il faut absolument trouver
une solution.

Justement, c'est bientôt
l'anniversaire
de Maman,
et Ève-Anne
a une idée géniale.

À la librairie, elle a repéré
un gros livre de cuisine intitulé
Mille pâtes.

Elle a cassé sa tirelire.

Elle a fait un très bel emballage-
cadeau, avec un gros nœud rouge.
Elle a dessiné une magnifique
carte, avec des petits cœurs dorés,
découpés dans du papier.

Un vrai chef-d'œuvre.

Chapitre 3

Taratata, c'est
le grand jour ! Maman
ouvre ses paquets.
En découvrant
le cadeau de sa fille,
elle éclate de rire :
– Merci beaucoup !

Puis elle regarde les photos, consulte
l'index et commente, à voix haute :
– *Nouillerie de petits légumes…*
  Omelette pâtinée aux girolles…
  Pâtouille de volailles…

Mais tout cela m'a l'air plein
de protéines, de vitamines, de bonnes
choses ! Bravo, ma chérie !

Mistouchat
s'est approché,
la moustache
frétillante.

Ève-Anne le prend dans ses bras
et s'exclame :
– C'est Mistouchat qui va être
content ! Fini de jouer les poubelles !

Maman ouvre des yeux
ronds.
– Mais qu'est-ce que
tu racontes ?

Ève-Anne rougit et bafouille :
– Ben oui, tu sais, Mistouchat et moi,
on partage tout.

Maman fronce
les sourcils :

– Je comprends mieux pourquoi
il est si gros ! Puisque c'est comme ça,
au régime, monsieur-la-poubelle !

Mais Mistouchat fait comme
s'il n'avait rien entendu.
Il se pelotonne sur les genoux
de sa maîtresse, l'œil mi-clos,
et commence à ronronner.

Ève-Anne lui murmure :

— Ne t'inquiète pas : tu sais bien qu'on a toujours tout partagé !

FiN

© 2001, Éditions Milan, pour la première édition
© 2007, Éditions Milan, pour la présente édition
300, rue Léon-Joulin, 31101 Toulouse Cedex 9 – France
www.editionsmilan.com
Loi 49.956 du 16.07.1949 sur les publications destinées à la jeunesse.
Dépôt légal : 4ᵉ trimestre 2010
ISBN : 978-2-7459-2784-2
Imprimé en France par Pollina - L55559a